# Flagrant délire !

JEANFAIVRE & SULPICE

BAMBOO ÉDITION

- **Les histoires dont le titre commence par un képi ont été adaptées plus ou moins librement de faits réels.**

*Nous remercions notre ami le capitaine Philippe GUICHARD de nous avoir prodigué de précieux conseils et de nous avoir «supporté» pendant toute la réalisation de cet album.*

*Les auteurs*

www.bamboo.fr

© **1998 BAMBOO ÉDITION**
116 chemin des Jonchères
71850 Charnay-Lès-Mâcon
Tél. 03 85 34 99 09 - Fax 03 85 34 47 55
Site Web : www.bamboo.fr
E-mail : bamboo@bamboo.fr

VINGT-DEUXIÈME ÉDITION
Dépôt légal : novembre 1998
ISBN 978-2-91271-502-9

La fabrication de cet album répond au processus de développement durable engagé par Bamboo Édition.
Il a été imprimé sur du papier certifié PEFC.

Printed in France
Imprimé et relié en France par PPO Graphic, 91120 Palaiseau

Pour être alerté de la sortie du prochain album, rendez-vous sur www.bamboo.fr/alerte-nouveaute

# Scoot toujours

# Liberté... Conditionnelle

## L'arme fatale

# Mini intervention

JEANGAIVRE & SULPICE

## La main dans le sac

## Bougerie chevaline

*Tel est pris...*

JEANFAIVRE & SULPICE

## Surprise !

## Mot à maux

## Coup de filet

**- Pas vu, ... pris !**

## Les premiers pas

## Panne perdue

## La cuisine du chef

## L'art du camouflage

# Un léger froid

## Presque parfait

## Lèche-vitrine

COMPRENEZ MON CAPITAINE... JE NE POUVAIS QUAND MÊME PAS LAISSER MON FILS REPARTIR LES MAINS VIDES !...
GIGN
JEANFAIVRE & SULPICE

## Mise en boîte

# Dans le panneau

# Tag... tique

## Fées incontournables

# Fils prodigue

44

# Brigade des ZUP...

# Vous aimerez aussi...

**Boulard • 6 tomes**
Scénario : Erroc
Dessins : Stédo
TOME 6 JUIN 18

**Les Profs • 20 tomes**
Scénario : Erroc
Dessins : Léturgie

**Les Petits Mythos • 8 tomes**
Scénario : Cazenove
Dessins : Larbier

**Les Footmaniacs • 16 tomes**
Scénario : Cazenove
Dessins : Saive
TOME 16 MAI 18

**Les Rugbymen • 16 tomes**
Scénario : BeKa
Dessins : Poupard

## À découvrir au rayon BD

**Les Pompiers • 17 tomes**
Scénario : Cazenove
Dessins : Stédo

**Les Fondus de moto • 10 tomes**
Scénario : Richez & Cazenove
Dessins : Bloz

**Enfin parents • 1 tome**
Scénario : Ghorbani
Dessins : Ghorbani

**Les Dinosaures • 4 tomes**
Scénario : Plumeri
Dessins : Bloz

**Les Animaux marins en BD • 4 tomes**
Scénario : Cazenove
Dessins : Jytéry

**Les Insectes en BD • 4 tomes**
Scénario : Cazenove & Vodarzac
Dessins : Cosby

**Mes premières fois • 2 tomes**
Scénario : Sti
Dessins : Juan

**Pilo • 2 tomes**
Scénario : Mariolle
Dessins : Mariolle
TOME 2 AVR. 18

**L'Atelier Détectives • 2 tomes**
Scénario : BeKa
Dessins : Goalec

**30 ans, 2 chats • 1 tome**
Scénario : Flora
Dessins : Minikim

**Mes Cop's • 9 tomes**
Scénario : Cazenove
Dessins : Fenech
TOME 9 AVR. 18

**Tizombi • 2 tomes**
Scénario : Cazenove
Dessins : William
TOME 2 MAI 18

**Les Sisters • 12 tomes**
Scénario : Cazenove
Dessins : William

**Studio Danse • 10 tomes**
Scénario : BeKa
Dessins : Crip

**Triple Galop • 13 tomes**
Scénario : Cazenove & Du Peloux
Dessins : Du Peloux

**Cath et son chat • 7 tomes**
Scénario : Richez & Cazenove
Dessins : Yrgane Ramon

**Le Livre de Piik • 3 tomes**
Scénario : Cazenove
Dessins : Cécile

**Boule à zéro • 7 tomes**
Scénario : Zidrou
Dessins : Ernst
TOME 7 MAI 18

Retrouvez les actualités, infos et extraits de nos séries sur www.bamboo.fr